La voyeuse

*Pour Naëtt, ma première lectrice
et trouveuse de titre*

La voyeuse

ROMAN

FANTAH TOURÉ

À PROPOS DE L'AUTEUR

Fantah Touré est une auteure franco-ivoirienne née à Paris. Elle a grandi entre le Sud-Ouest de la France, la région parisienne et la Côte d'Ivoire. Spécialiste des littératures francophones, elle a enseigné à l'université d'Abidjan puis dans des lycées en France et au Sénégal. Si son métier d'enseignante lui tient très à cœur, elle a toujours ressenti le besoin d'avoir « une deuxième vie », celle que lui offre l'écriture. Pendant longtemps, elle a simplement écrit pour elle-même, pour échapper à la routine, puis est venue l'envie de partager ses histoires avec d'autres.

Avant *La voyeuse*, elle a publié plusieurs nouvelles et un roman (*Les disculpées*, Présence africaine, 2013). Dans ses textes, elle aborde volontiers la question de l'identité, multiple, irréductible aux catégories toutes faites. Elle s'intéresse également à la condition féminine et aux relations familiales.

LA COLLECTION MONDES EN VF

Collection dirigée par Myriam Louviot
Docteur en littérature comparée

www.**mondes**en**vf**.com

Le site *Mondes en VF* vous accompagne pas à pas pour
enseigner la littérature en classe de FLE par des ateliers
d'écriture avec :

- une fiche « Animer des ateliers d'écriture en classe de FLE » ;
- des fiches pédagogiques de 30 minutes « clé en main » et
  des listes de vocabulaire pour faciliter la lecture ;
- des fiches de synthèse sur des genres littéraires, des
  littératures par pays, des thématiques spécifiques, etc.

 Téléchargez gratuitement
la version audio MP3

Dans la collection Mondes en VF

Dimanche 5 avril, 23 h

François à Iris

Iris,

Je viens d'arriver chez moi. Comme tu peux l'imaginer, je suis furieux.

Je ne comprends pas. Tu n'es pas venue et tu ne t'es pas excusée. Pourtant, je t'avais donné mon numéro de portable. J'espère que tu as une bonne excuse et que tu n'es pas une de ces allumeuses[1] qui s'amuse avec les sentiments des autres. J'attends une explication.

François

––––––––––––––

1. Allumeuse (n.f.) : *Femme qui s'amuse à séduire les hommes.*

Mercredi 8 avril, 14 h 38

Iris à François

Bonjour François,

J'ai hésité à te répondre.

Je t'écris installée devant un ordinateur qui n'est pas le mien, dans un bureau qui n'est pas le mien. Je profite de la sieste de Simon et du calme. Devant la fenêtre, je vois les branches d'un arbre bientôt couvert de feuilles. C'est le printemps.

J'aime bien ce moment : j'ai l'impression de dominer la situation, un peu comme un capitaine sur son bateau. Tout est tranquille, je peux écrire pendant une heure avant que mon petit monstre se réveille.

Hier, j'étais là, dans ce café proche de la gare Montparnasse, cachée dans le coin le plus discret, tout près de la fenêtre. Je t'ai vu pousser la porte, regarder autour de toi, puis t'asseoir à une table. Tu portais un pantalon noir et un blouson[2] en cuir sur une chemise blanche. Tu m'as attendue deux heures. Tu pianotais[3] nerveusement sur la table, tu consultais[4] ton téléphone portable.

Enfin, tu t'es levé et tu as enfilé[5] ton blouson de mauvais garçon sur ta chemise sage. Moi, je me faisais toute petite dans mon coin. Il me semblait que tu allais marcher droit sur moi pour me gifler[6] ou pour m'insulter. Mais non, tu as enfoncé tes mains dans tes poches et tu es sorti. Ton café refroidi est resté sur la table. À ce moment-là, j'ai respiré. J'ai attendu une bonne demi-heure devant mon verre de coca avant de partir moi aussi.

Tu étais déçu[7] et en colère, c'était normal. Je savais que tu te dirigeais vers le quai 9 ; tu allais monter dans le TGV 933 à destination de

2. Blouson (n.m.) : *Veste courte et serrée à la taille.*
3. Pianoter (v.) : *Tapoter, taper comme sur un piano.*
4. Consulter (v.) : *Regarder. Ici, regarder son portable pour voir s'il y a des messages.*
5. Enfiler (v.) : *Mettre.*
6. Gifler (v.) : *Frapper le visage de quelqu'un avec la main.*
7. Déçu (adj.) : *On est déçu quand ce qu'on espérait n'est pas arrivé.*

Saint-Brieuc. Là-bas, tu récupérerais la voiture laissée au parking de la gare pour rentrer chez toi, dans ce petit village où tu as toujours vécu. Toutes ces informations, je les tiens de toi. Je suis certaine que tu étais sincère. La tricheuse[8], la menteuse, c'était moi.

J'aimerais me racheter[9] et te dire la vérité. Pour commencer, je ne m'appelle pas Iris. Envoie-moi juste un petit mot pour me dire que tu veux bien me laisser une chance de m'expliquer. Non, je ne suis pas une « allumeuse » !

Jeudi 9 avril, 1 h 17

François, à qui ?

Je ne sais plus que penser, que croire… Après la colère, la tristesse, le doute… Qui est

---

8. Tricheuse (n.f.) : *Personne qui ne respecte pas les règles.*
9. Se racheter (v.) : *Réparer ses fautes.*

la fille qui m'écrit ? Quelle « vérité » pourrais-tu écrire maintenant ? Essaie pour voir… Je veux bien t'accorder une chance.

Samedi 11 avril, 13 h 43

Mélina à François

Merci François.

Alors, je commence par le début. J'ai tellement de choses à dire qu'une pièce jointe[10] de cent pages n'y suffirait pas.

Pour notre rendez-vous, j'ai fait comme à chaque fois : j'ai choisi dans le café le meilleur poste d'observation possible, celui qui me donne une vue imprenable[11] sur l'ensemble des tables et sur la porte. Tu étais l'inconnu,

---

10. Pièce jointe : *Document envoyé avec un mail.*
11. Vue imprenable : *Vue d'ensemble, très bonne vue d'ensemble.*

pas si inconnu que ça, avec lequel j'avais bavardé pendant des semaines sur le site de rencontres. Il a un nom merveilleux, ce site : lebonheurpourtous.com. Il promet de rendre heureux ceux qui recherchent une simple aventure, comme ceux qui espèrent le grand amour.

J'ai essayé de tout prévoir : je me suis inventé un faux prénom, tout le monde fait pareil, je crois, et se protège derrière un pseudonyme[12] ; j'ai choisi un nom de fleur, Iris. C'est une fleur des zones tempérées[13], pas une fleur des tropiques. En réalité, je m'appelle Mélina. Je prétends[14] habiter l'un de ces quartiers où je travaille.

Cela me permet de décrire à mes contacts une vie qui n'est pas la mienne : je fais mes courses dans des magasins bio où les produits sont plus chers qu'ailleurs ; je vais aux spectacles ; j'enseigne l'histoire à des élèves gentils

---

12. Pseudonyme (n.m.) : *Faux nom.*
13. Zone tempérée : *Région où les températures ne sont ni très chaudes, ni très froides.*
14. Prétendre (v.) : *Affirmer, dire.*

et bien élevés dans un lycée tout proche ; je pars en vacances…

Tout est vrai, sauf que ce n'est pas ma vie. En fait, je joue un rôle, celui de la maîtresse de maison et de la maman. Je vais t'expliquer : je ne suis que de passage, je ne suis pas la mère du petit garçon qui dort deux portes plus loin. Je suis la personne payée pour nettoyer la maison et pour prendre soin des enfants. On peut dire que j'ai une jolie vie virtuelle[15]. Cela me permet de correspondre avec des hommes qui mènent eux aussi une vie confortable. Mais je n'oublie jamais qu'eux aussi peuvent mentir. En général, nous échangeons des mails pendant plusieurs semaines : ils me décrivent leur vie, je leur décris la mienne.

Très vite, viennent les confidences[16]. Les plus importantes concernent notre vie amoureuse, évidemment. Ce n'est pas bien difficile pour moi de m'inspirer de ma vraie vie.

---

15. Virtuel (adj.) : *Qui n'est pas réel.*
16. Confidence (n.f.) : *Secret, chose qu'on ne dit pas à tout le monde.*

Toutes les histoires se ressemblent : rencontres, coups de foudre[17], vie commune, trahisons, déceptions, divorces[18]. Les confidences et les demandes purement sexuelles ne m'intéressent pas. Est-ce que je peux être vraiment certaine de la sincérité de mon correspondant ? Non, mais je me dis que les mensonges peuvent contenir beaucoup de vérité, quand ils parlent de tristesse et de solitude.

Lorsque mon correspondant parle d'une rencontre, je propose un bar soigneusement[19] choisi. Jusqu'à présent, je me suis rendue[20] en tout à cinq rendez-vous. Je décris sur le site une tenue très différente de celle que je vais porter. Tu as remarqué que lorsqu'on attend quelqu'un habillé en bleu, on n'a aucune raison de s'intéresser aux gens habillés en noir ou en rouge ?

Et puis je dois préciser que je ne ressemble pas du tout à la photo sur le site. Je porte de

17. Coup de foudre (expr.) : *Fait de tomber amoureux au premier regard.*
18. Divorce (n.m.) : *Séparation.*
19. Soigneusement (adv.) : *Avec soin, avec attention.*
20. Se rendre à (v.) : *Aller à.*

grosses lunettes. J'arrive toujours très à l'avance. Je sais à peu près à quoi ressemble celui qui va pousser la porte. Parfois, j'ai eu la surprise de découvrir un homme beaucoup plus vieux et nettement moins séduisant que sur la photo. Ah ! j'oubliais : je ne donne jamais mon numéro de portable, alors que parfois l'inconnu me donne le sien.

Une seule fois, je n'ai vu personne qui ressemblait de près ou de loin à la photo en question. Peut-être jouait-il le même jeu que moi. Comment savoir ? J'ai trouvé plutôt amusant d'essayer de deviner qui, dans la salle, pouvait bien être mon inconnu. J'observais les visages de tous les hommes seuls. Et j'ai continué à attendre mon faux rendez-vous.

Je n'aime pas spécialement voir un homme m'attendre, non, mais c'est devenu nécessaire pour moi de me cacher. Je ne veux pas me rendre vulnérable[21], tout simplement. Mais je vais toujours au rendez-vous en pensant :

---

21. Vulnérable (adj.) : *Fragile.*

« S'il me plaît vraiment, je me lève et je me présente à lui. » Oui, je sais, je suis pleine de contradictions…

Jusqu'à hier, aucun de mes contacts ne m'avait vraiment plu et je repartais avec ma bonne conscience : « Il est moche, il est vieux, il m'a menti et tant pis pour lui[22] s'il a attendu pour rien. »

Dimanche 12 avril, 11 h 03

François à Mélina

Bravo, Mélina, tu es une vraie professionnelle du mensonge ! ! Tu es donc une cyberallumeuse. Eh bien, je crois que je préférais Iris à Mélina… Tu parles de « contradictions » mais c'est pire que ça : ta conduite est blessante

---

22. Tant pis (expr.) : *C'est dommage.*
Tant pis pour lui : *Dommage mais bien fait pour lui.*

pour celui qui a cru que tu étais aussi sincère que lui. C'était mon cas. Maintenant, j'aimerais comprendre pourquoi tu me dis tout ça.

F

Dimanche 12 avril, 15 h

Mélina à François

Bonjour François,

J'ai pris la peine de marcher un kilomètre jusqu'au cyber[23] le plus proche pour te répondre. Je continue, donc…

Avec toi, c'était différent.

Au café, tu m'as cherchée des yeux mais tu n'as vu nulle part la jolie fille aux cheveux sur les épaules que tu espérais. Personne qui

---

23. Cyber (n.m.) : *Cyber café, café internet.*

ressemble à la photo de mon « profil »[24] sur le site. J'adore ce mot, le « profil ». Tout le monde sait bien qu'un profil peut être très différent du visage de face. On dit aussi que chacun a un bon et un mauvais profil. Disons que j'ai un peu retouché[25] le mien. C'est une photo de moi qui a plus de quinze ans. Je suis assise devant un paysage de mer et de rochers, le cadre de mon enfance. Je porte une robe à fleurs et je souris avec pas mal d'assurance.

Cette jolie fille ne ressemble pas beaucoup à la femme que je suis devenue : dans la vraie vie, je suis plus vieille. J'ai l'air triste. Je rassemble mes cheveux dans une queue-de-cheval[26] bien serrée et je porte une espèce d'uniforme : un pull et un jean trop grands d'une taille. Des petites mains sales y laissent souvent des traces.

---

24. Profil (n.m.) : *Sur un site internet, présentation simple d'une personne.*
25. Retoucher (v.) : *Modifier, changer légèrement.*
26. Queue-de-cheval (n.f.) : *Coiffure où les cheveux longs sont rassemblés par un élastique.*

Tu vois, je te dis tout par petits bouts et en désordre.

Je suis en réalité une femme de trente-cinq ans et pas une fille de vingt-cinq ans. Je ne suis pas « enseignante », comme je l'ai écrit sur le site, mais nounou[27], une de ces nou-nous comme on en voit beaucoup depuis une dizaine d'années dans les jardins publics parisiens ou à la sortie des écoles. Elles tiennent des enfants habillés en bleu marine par la main. À l'intérieur de jolis appartements, elles en ont souvent un attaché dans leur dos par un pagne[28]. Elles doivent avoir les mains libres car elles ont beaucoup à faire.

Finalement, ce n'est qu'un bien petit men-songe, ce métier d'enseignante : après tout, j'ai été institutrice sur mon île pendant plusieurs années, avant de rejoindre mon mari en France. J'ai reçu une très bonne éducation. Et puis je continue à m'occuper d'enfants.

---

27. Nounou (n.f.) : *Nourrice, personne qui s'occupe de petits enfants.*
28. Pagne (n.m.) : *Morceau de tissu rectangulaire.*

Parlons de mon pays : c'est mon seul exotisme, avec ma peau couleur « cannelle[29] » comme disait mon mari au début de notre histoire. Je viens d'un endroit minuscule, un caillou jeté dans l'Atlantique. Je suis bien une « fille des îles ». Cette expression que tu as employée pour expliquer quel genre de femme tu cherchais m'a d'abord fait sourire. Ensuite, elle m'a agacée[30]. Je me suis demandé ce que tu voulais, au juste : une gentille petite femme ? une aide pour ton travail de fermier ? un peu d'exotisme ? Tu sais bien ce qu'on dit des « filles des îles »…

Mélina

---

29. Cannelle (n.f.) : *Épice parfumée de couleur brune.*
30. Agacer (v.) : *Énerver.*

Lundi 13 avril, 22 h 20

François à Mélina

Bonsoir Mélina,

Je réponds au reproche qui pointe[31] dans ton dernier courriel[32] : j'ai bien droit moi aussi à un rêve, non ? à une part d'« exotisme » ? Tu as raison, je cherchais une fille jeune et jolie. Et pourquoi pas une fille des îles ? C'est vrai que ça me faisait un peu rêver. Est-ce que c'est grave ? Surtout, je cherchais une compagne, quelqu'un prêt à faire sa vie avec moi. Je ne comprends toujours pas tes mensonges.

Je crois que tu as gâché nos chances. Tu aurais bien pu m'avouer ton âge et ton vrai métier, au moins, on serait partis sur de bonnes bases.

F

---

31. Pointer (v.) : *Ici, apparaître.*
32. Courriel (n.m.) : *Mail.*

Jeudi 16 avril, 13 h 32

Mélina à François

D'habitude, mon rêve s'arrêtait au premier rendez-vous. Il ne devait surtout pas se réaliser, comme tous les rêves, d'ailleurs.

Après la rencontre manquée[33] exprès, je supprimais tous les mails et leurs auteurs de ma messagerie. Je les faisais sortir de ma vie. Je passais à un autre.

Avec toi, c'était différent, je le répète. D'abord, j'ai été attirée par ta photo : tu es séduisant, et surtout tu te tiens bien droit, devant une maison au toit d'ardoises[34] qui paraît très grande. Tu as l'air solide et on a envie de te faire confiance. Au café, tu ressemblais à cette image. Et je me suis demandé si ce n'était pas trop beau pour être vrai.

---

33. Manqué (adj.) : *Raté.*
34. Ardoise (n.f.) : *Pierre sombre, presque bleue, qu'on utilise en Bretagne pour les toits.*

Tu disais très bien gagner ta vie. Tu m'as expliqué que tu élevais des porcs[35]. « Ce n'est pas très romantique, mais ça rapporte », faisais-tu remarquer. Cet humour, c'était un bon point pour toi. Tu m'as expliqué que tu as modernisé l'élevage[36] hérité de tes parents.

J'aimais bien ces détails concrets. Alors, je me suis inventé avec toi une vie bien différente de celle que je mène depuis dix ans. Ici, tous les matins, je monte dans un wagon surchargé de voyageurs déjà fatigués et de mauvaise humeur. Il me faut une heure de trajet pour rejoindre mon lieu de travail.

Je me voyais bien à tes côtés, dans ta ferme : je t'aidais à prendre soin de tes animaux et je m'occupais de ta maison, je te préparais des petits plats, je cultivais des légumes dans le potager…

Tu m'as expliqué que ton père, très âgé, t'a laissé la ferme. Il s'est retiré dans une petite

---

35. Porc (n.m.) : *Cochon.*
36. Moderniser l'élevage : *Moderniser les techniques servant à élever, nourrir des animaux souvent pour les vendre.*

maison moderne qu'il a fait construire au fond du jardin. Vous avez l'habitude de déjeuner tous les deux chez toi le dimanche. Tu sers toujours les mêmes plats car tu n'es pas très fort en cuisine.

Tu as mis beaucoup plus de temps à me parler de ta mère et au début, j'ai cru qu'elle vous avait abandonnés. Tu m'as raconté ta précédente histoire d'amour qui s'est mal terminée : une fille de la ville qui s'est installée chez toi avec son fils ; elle est partie au bout de quelques mois parce qu'elle s'ennuyait. Et j'ai pensé : « Mais moi, je suis différente et je ne m'ennuierai pas. »

Très vite, nous avons décidé tous les deux qu'il n'était pas trop tard : tu pouvais encore rencontrer la femme de ta vie ; je pouvais être cette femme. Tu as exactement le même âge que moi, à un mois près, mais tu cherchais une femme « entre vingt et trente ans ». J'ai prétendu en avoir vingt-cinq.

Vendredi 17 avril, 12 h 46

Mélina à François

Excuse-moi, je n'ai pas pu continuer hier, Simon s'est réveillé plus tôt que d'habitude.

Je vais maintenant te parler un peu de mon boulot[37] : je m'occupe de jeunes enfants jusqu'à leur entrée à l'école maternelle. Le premier sourire qu'ils voient lorsqu'ils ouvrent les yeux, le matin, c'est le mien. Je les lave, je les habille, je les nourris[38], je les promène, je leur lis des histoires. Je leur fais aussi des câlins[39], même si cela ne fait pas partie de mon travail. Mon travail est limité dans le temps, d'abord celui de la journée, puisque les soirées appartiennent aux parents : chaque jour, il y a un moment, situé entre 18 h et 19 h 30, où je les laisse reprendre leur place. Et puis, au bout de trois ans, le temps de l'école marque la fin du mien.

---

37. Boulot (n.m.) : *Travail.* (fam.)
38. Nourrir (v.) : *Donner à manger à quelqu'un.*
39. Câlin (n.m.) : *Geste tendre, caresse.*

Le jour, je vis dans des appartements de rêve, et le soir, je retrouve mes vingt mètres carrés avec vue sur une façade décorée de linge[40] qui sèche. Je suis si fatiguée que je ne prends pas la peine de faire des courses pour me préparer un repas. Je mange ce qu'il y a dans le frigo.

Le soir, je passe beaucoup de temps devant la télévision à regarder des émissions stupides. Ma vie est monotone[41]. Parfois, je rêve devant le mur d'en face. J'essaie d'imaginer la vie des gens de l'autre côté de la cour.

J'avais à peu près la même vie lorsque j'étais mariée, sauf que j'habitais une petite chambre en plein Paris. C'était dans un bel immeuble vu de la rue mais pour arriver chez moi, il fallait grimper[42] sept étages. Quelle déception à mon arrivée ! J'ai eu du mal à m'habituer à un espace aussi petit et à un temps aussi gris.

---

40. Linge (n.m.) : *Vêtements, draps, serviettes, etc. constituent le linge.*
41. Monotone (adj.) : *Toujours pareil, répétitif, ennuyeux.*
42. Grimper (v.) : *Monter.*

Mon mari avait deux emplois : déménageur le jour et gardien de parking trois fois par semaine la nuit. Nous étions pauvres. Je m'étais renseignée : mes diplômes étrangers n'intéressaient personne mais j'aurais pu travailler comme femme de ménage. Moi, ça ne m'aurait pas du tout dérangée[43].

Mais mon mari me disait : « Tu ne peux pas accepter n'importe quoi et puis, c'est mon devoir de gagner notre vie à tous les deux[44]. Qu'est-ce qu'elle dirait, ta famille, si elle savait que je t'ai fait venir jusqu'ici pour ce genre de travail ? »

Je viens d'une bonne famille et s'il a pu m'épouser, c'est précisément parce que lui, le travailleur « émigré[45] », il représentait le mari idéal : à chacun de ses retours au pays, il me rapportait des cadeaux et il m'avait promis une vie merveilleuse en France.

---

43. Déranger (v.) : *Ennuyer, poser problème.*
44. Gagner notre vie à tous les deux : *Gagner de l'argent pour nous deux.*
45. Émigré (adj.) : *Qui vit en dehors de son pays, qui a migré.*

La réalité était bien différente de mes rêves de jeune fille. Mon mari travaillait du matin au soir et il n'était plus du tout attentionné. J'ai découvert qu'il était complexé[46] par mes études et par mon ancien métier. Il me répondait par des grognements[47] lorsque j'essayais de lui faire la conversation le soir. Il se faisait servir et je n'avais même pas droit à un merci.

Il ne retrouvait sa bonne humeur que le samedi, lorsqu'il mettait une belle chemise pour aller danser aux bals qu'organisait notre communauté au fond du vingtième arrondissement. Au début, je l'accompagnais mais je n'ai jamais tellement aimé danser (« C'est bizarre, pour une fille des îles » avais-tu remarqué. Ah ! les préjugés[48]…) et je détestais le voir faire la cour[49] aux autres femmes. C'était plus fort que lui. J'ai fini par le laisser y aller tout seul. C'était

---

46. Complexé (adj.) : *Qui se sent inférieur, moins bien.*
47. Grognement (n.m.) : *Bruit qui ressemble à celui d'un animal*
48. Préjugé (n.m.) : *Idée toute faite, opinion ou jugement formé à l'avance sur quelqu'un ou quelque chose.*
49. Faire la cour (expr.) : *Essayer de séduire, chercher à plaire.*

une erreur car c'est là qu'il a rencontré cell
allait me remplacer dans sa vie.

Au début, je ne me suis doutée de rien. Je
passais les soirées où il était absent à dormir
ou à regarder la télé. J'avais grossi et je restais
toute la journée en jogging. Je m'enfonçais dans
la tristesse. J'avais perdu le goût de sortir et de
me promener.

Je descendais juste chaque jour pour surfer
sur Internet dans la médiathèque[50] de ma rue :
comme par magie, je revenais sur mon île, je
cherchais des nouvelles des uns et des autres.
Je retrouvais des paysages familiers[51]. Je restais
concentrée sur mon écran et je ne parlais à
personne.

Chez moi, je me sentais en prison. J'en
avais assez des étages à monter et du bruit des
voisins que l'on entendait se disputer ou faire
l'amour derrière les murs trop minces. Nous

---

50. Médiathèque (n.f.) : *Lieu où on peut emprunter des livres,
des CD, des DVD et où il y a aussi souvent des ordinateurs pour
travailler.*
51. Familier (adj.) : *Que l'on connaît très bien.*

amoureuse. J'en avais assez
des journées solitaires et
ins de pitié que je croyais
moi dans nos réunions

Un soir, mon époux m'a invitée au restaurant. J'étais surprise car nous n'en avions pas les moyens[53]. Je l'ai entendu m'annoncer comme dans un brouillard qu'il avait « mis une fille enceinte[54] » et qu'il était obligé de me quitter pour l'épouser. Il a ajouté : « De toute façon, nous ne nous entendons plus et comme nous n'avons pas d'enfants… »

Je ne pouvais pas lui donner tort. Lorsque je me regardais dans mon miroir le matin, je voyais une femme même plus attirante. J'étais obligée de le reconnaître : je ne lui servais à rien. À qui est-ce que j'étais utile, d'ailleurs ?

---

52. Exilé (n.m.) : *Personne qui vit en dehors de son pays.*
53. Avoir les moyens (expr.) : *Avoir assez d'argent.*
54. Mettre une fille enceinte (expr.) : *Faire un enfant à une femme.*
Il avait « mis une fille enceinte » : *Une femme va avoir un enfant de lui.*

Nous avons divorcé. Ma famille a écrit pour essayer de nous en empêcher[55] mais ça n'a servi à rien. Je me sentais humiliée et en même temps, au fond de moi, une voix murmurait que j'avais bien mérité mon malheur.

Mon ex-mari a touché[56] une somme assez importante pour rentrer au pays et il a pu ouvrir un garage dans la capitale. J'ai appris récemment qu'il réussit pas mal et que sa nouvelle épouse lui a fait quatre enfants.

Après son départ, j'ai décidé de faire ma vie là où j'étais. Je préférais qu'il y ait des milliers de kilomètres entre mon ex et moi car je n'avais aucune envie de le rencontrer avec sa nouvelle femme à son bras.

Je me suis adressée à Supernounou sur les conseils d'une fille originaire du même village que moi. Je me suis dit : « Pourquoi pas ? Je sais m'occuper d'une maison et j'aime bien

---

55. Empêcher (v.) : *Rendre impossible, faire obstacle.*
Pour essayer de nous en empêcher : *Pour tenter qu'on ne divorce pas.*
56. Toucher (v.) : *Ici, recevoir.*

les enfants. » Il fallait bien que je gagne ma vie. Je n'étais plus l'épouse d'un travailleur, je ne pouvais plus profiter d'un « regroupement familial »[57]. J'étais devenue une femme seule dans un pays étranger.

La première famille chez laquelle j'ai travaillé, c'était chez les Deroy. Un mari P.D.G.[58], une femme avocate[59], un appartement du côté des Invalides et trois enfants de plus de six ans. La mère m'avait choisie pour mon expérience d'institutrice. J'étais femme de ménage et cuisinière à plein temps, et, de 17 h à 19 h, j'aidais les enfants à faire leurs devoirs. Avant, elle m'avait posé plein de questions : « Vous savez vous servir d'un aspirateur ? d'une cireuse[60] ? Vous savez bien lire le français et

---

57. Regroupement familial : *Procédure, dispositif qui permet à une épouse et à ses enfants de venir rejoindre en France son mari, travailleur immigré.*
58. P.D.G. (n.m.) : *Abréviation de Président Directeur Général, chef d'entreprise.*
59. Avocate (n.f.) : *Personne qui défend les droits de quelqu'un devant un tribunal.*
60. Cireuse (n.f.) : *Machine pour cirer (entretenir) les sols en bois.*

vous êtes capable d'aider les enfants à faire leurs devoirs ? »

Je savais faire tout ça ou je l'ai vite appris. Lorsqu'elle rentrait du travail, elle inspectait tout. Mais elle a été obligée de reconnaître qu'elle n'avait rien à me reprocher : la maison était impeccable[61] et les enfants savaient leurs leçons.

En plus, j'avais maigri et j'étais plutôt mignonne[62] lorsqu'une ou deux fois par mois je servais aux réceptions qu'ils donnaient, vêtue d'une robe noire avec un petit tablier blanc que je trouvais ridicule.

Tous les jours, je trouvais les ordres de ma patronne notés sur un panneau dans l'entrée. J'évitais le maître de maison qui me trouvait plutôt à son goût[63], si j'en crois les regards qu'il me lançait entre deux portes. Au bout d'un an et demi, tous les enfants ont été mis

---

61. Impeccable (adj.) : *Sans défaut, parfait.*
62. Mignonne (adj.) : *Jolie.*
63. Trouver à son goût (expr.) : *Apprécier, avoir de l'attirance pour quelqu'un.*

en pension[64] et j'ai été remerciée avec une belle enveloppe[65].

J'oubliais de te dire que j'avais pris l'habitude d'utiliser l'ordinateur des enfants pour surfer pendant mon temps libre. J'ai essayé plusieurs sites de rencontres. C'était ma part de rêve à moi.

J'ai nettement préféré la deuxième famille, celle des Rounenko. Les deux enfants, des fillettes de sept mois et trois ans, étaient adorables. Je devais appeler ma patronne Nathalie. Elle trouvait très sympa d'employer une femme « du tiers-monde ». Des années que je n'avais pas entendu cette expression. Les premiers jours, elle a voulu me montrer qu'elle me traitait comme son égale. Elle partait travailler en laissant la porte de son placard ouverte pour me montrer sa confiance. Mais elle avait beau être « ouverte à d'autres cultures », le jour où

---

64. Pension (n.f.) : *École avec un internat (les enfants dorment aussi à l'école et ne rentrent dans la famille que le week-end).*
65. Avec une belle enveloppe : *Avec une importante somme d'argent.*

elle m'a entendue chanter une berceuse[66] en créole[67] à son bébé, elle m'a dit : « C'est joli, votre petit refrain[68], Mélina, mais vous savez, il faut qu'elle n'entende que sa langue maternelle pour bien la parler ensuite, sinon, elle n'aura plus de repère. Je suis sûre que vous connaissez de jolies chansons françaises… »

Oui, j'en connaissais et j'avais bien compris qu'elle n'avait pas envie d'une petite Parisienne parlant le créole, alors, je me suis mise à chanter *Frère Jacques* et *Fais dodo, Colas mon p'tit frère* avec le moins d'accent possible. Ce n'était pas très difficile.

Rémi, l'homme de la maison, était gentil avec moi et toujours prêt à faire les choses à ma place lorsqu'il était là. Il m'a confié une fois qu'il n'avait pas l'habitude d'être servi.

Je nettoyais, je rangeais, j'aimais que tout soit parfait : j'imaginais que les lieux

---

66. Berceuse (n.f.) : *Chanson pour endormir les petits enfants.*
67. Créole (n.m.) : *Langue née de la rencontre entre plusieurs langues. On parle ainsi créole aux Antilles, à la Réunion, etc.*
68. Refrain (n.m.) : *Partie d'une chanson qui revient, qu'on répète plusieurs fois.*

m'appartenaient et je faisais tout pour les rendre agréables. J'étais surtout fière des deux petites filles gaies et câlines lorsque je sortais avec elles. Et puis il y avait l'ordinateur du bureau. J'étais autorisée à m'en servir « pas trop souvent et uniquement pendant la sieste des enfants ».

Nathalie comprenait que j'avais besoin des nouvelles de « mon pays » et comme elle avait peur des microbes[69], elle préférait que je surfe depuis son ordinateur aux touches bien propres. Tout allait bien, jusqu'au jour où sa sœur est venue passer une semaine avec nous. Une fille pas sympathique avec des piercings partout. Une grosse somme d'argent a disparu de la maison. Et là, finis la gentillesse et les beaux principes ! J'ai été renvoyée[70]. Comme Nathalie avait tout de même des doutes, elle m'a fait une belle lettre de recommandation[71].

---

69. Microbe (n.m.) : *Organisme minuscule qui peut provoquer des maladies.*
70. Être renvoyé (v.) : *Perdre son travail.*
71. Lettre de recommandation : *Lettre dans laquelle un employeur dit le bien qu'il pense de son employé (utile pour trouver un nouveau travail).*

Je n'ai pas dit ce

De toute façon, on

suis donc partie. Au

beaucoup manqué. J

mère a bien pu leur

Se séparer des

problème. Personne

« Est-ce que vous aimez ces enfants dont vous vous occupez toute la journée ? et jusqu'à quel point ? Est-ce que vous aurez très mal quand vous ne les verrez plus ? Vous savez bien que ce ne sont pas vos enfants. Vous avez vos propres enfants. Vous avez souvent changé de famille, non ? Ça fait partie de votre travail. Qu'est-ce que vous éprouvez au juste, au moment du départ ? »

Il se trouve que je n'ai pas d'enfant. Mais Supernounou ne s'occupe pas de nos sentiments. Personne ne s'en occupe.

Tout le monde a le mode d'emploi[72] pour les courses, le ménage, les sorties d'école et les devoirs. Personne ne l'a pour la « coupure ».

---

72. Mode d'emploi : *Méthode, manière de faire.*

que j'utilise à la place de « sépa-
car il y a un lien qu'il faut couper. Au
ut, je me sens mal et il m'arrive de pleurer.
C'est pour ça que je cherche très vite une autre
maison avec d'autres enfants.

Bon, je ne vais pas pleurer sur mon sort et
je vais mettre un point final à cette trop longue
lettre.

À très vite, si tu veux bien, François.

Samedi 18 avril, 11 h 09

François à Mélina

Tes « trop longues » lettres ne m'ennuient
pas du tout, Mélina, je découvre plein de choses
sur toi et je suis touché par ce que tu me dis de
ton métier. Tu m'ouvres un monde inconnu.

Nous n'avons jamais parlé d'enfants mais
j'ai toujours regretté de ne pas en avoir.

Tu veux bien me parler un peu plus de toi ?

Je m'emporte[73] vite (et avoue qu'il y avait de quoi), mais je suis aussi capable de revenir à de meilleurs sentiments. Prouve-moi que j'ai raison.

À tout bientôt donc,

François

Dimanche 19 avril, 9 h

Mélina à François

Bonjour François,

Merci pour ta réponse.

J'ai retardé le moment de te parler de l'enfant qui a le plus compté[74] pour moi. Ma

---

73. S'emporter (v.) : *Se mettre en colère.*
74. Compter (v.) : *Ici, être important.*

petite fille. Celle que j'ai perdue un peu avant de te rencontrer. Oui, je l'ai perdue, je ne peux pas le dire autrement. Après son départ, la solitude est devenue insupportable.

Deux jours après avoir été renvoyée de chez les Rounenko, on m'a proposé un nouveau travail : un bébé de trois mois à garder dans le 14e arrondissement[75].

Je me souviens très bien de ma rencontre avec Karen et sa fille : une femme toute petite qui tenait un paquet blanc d'où sortaient des pleurs faibles mais continus[76]. C'était Léna.

Karen parlait avec un léger accent. Elle avait l'air si fatiguée que j'ai tendu les bras ; elle m'a remis[77] l'enfant en disant : « Elle s'appelle Léna. » Elle me l'a remis, à moi, une parfaite étrangère, comme pour me dire : « Je te confie mon enfant, tu sauras quoi faire parce que c'est ce qu'on m'a promis. C'est ton métier, après tout. »

---

75. Arrondissement (n.m.) : *Partie de Paris (la ville de Paris est divisée en vingt arrondissements).*
76. Continu (adj.) : *Qui ne s'arrête pas.*
77. Remettre (v.) : *Ici, donner, confier.*

Je me suis mise à marcher dans la pièce en chantonnant. Je sentais le petit corps se détendre petit à petit contre moi et les pleurs se sont calmés. J'ai dû marcher à peu près une demi-heure. Enfin, le silence.

C'est ainsi que Léna est entrée dans ma vie et dans mon cœur. J'ai plus d'une fois dormi sur un matelas, au pied de son berceau[78]. Karen n'avait qu'une peur, et cela a duré des mois : que les pleurs, les terribles pleurs qu'elle ne savait pas calmer reprennent. Une fois que j'ai été habituée à la maison, elle s'est dépêchée de reprendre son travail de directrice des ressources humaines[79]. Comme si elle voulait fuir la maison et son bébé.

Je n'étais pas choquée, j'avais plutôt pitié d'elle. On n'avait pas dû lui apprendre son métier de mère. Même donner le bain à sa fille était une épreuve pour elle, elle avait toujours peur de lui faire mal ou de la laisser tomber.

---

78. Berceau (n.m.) : *Lit d'enfant.*
79. Directrice des ressources humaines : *Cheffe du personnel dans une entreprise (chargée du recrutement, de la gestion du personnel).*

Quant au père, je ne l'ai jamais vu, je n'ai même jamais entendu Karen évoquer[80] son existence.

Léna est devenue rapidement un bébé calme, puis une petite fille un peu trop sérieuse.

Je préférais ne pas penser à la fin de ma « mission » chez elle. Je vivais au jour le jour. C'est elle qui a inventé pour mon nom un nouveau diminutif [81] : « Méla ». Dans ma famille, on m'a toujours appelée « Méli ». Personne, sauf elle, ne m'a jamais appelée Méla.

Cela a duré exactement deux ans. Tu as dû remarquer que je mesure soigneusement le temps dans ma vie. Il me semble que lorsqu'on cesse[82] de compter, on n'a plus qu'à mourir. Je comptais donc les jours. Au fond de moi, j'espérais que le temps de l'école n'arriverait jamais pour cette petite fille-là : je la verrais grandir, il n'y aurait aucun autre enfant après elle dans ma vie.

---

80. Évoquer (v.) : *Parler de.*
81. Diminutif (n.m.) : *Version courte du nom.*
82. Cesser (v.) : *Arrêter.*

C'est un peu avant le troisième été que tout s'est effondré[83].

Un soir, Karen m'a annoncé qu'elle allait rentrer chez elle avec la petite, aux USA, du côté de Boston où habitait sa famille. Elles partiraient avant la rentrée, ce qui nous laissait encore trois mois et demi à passer ensemble. Tout était réglé et elle ne m'a pas demandé mon avis, elle n'avait pas à le faire, bien sûr. J'ai essayé de profiter au maximum de cette courte période avec Léna. Je restais tard le soir et j'arrivais de plus en plus tôt le matin. Un jour, je suis même restée devant la porte, à attendre l'heure à laquelle Karen se levait. Ce n'était pas raisonnable !

J'avais beau faire, le jour du déménagement est arrivé. En quelques heures, j'ai vu passer devant moi les meubles, la caisse remplie des vêtements de Léna pliés par mes soins, les boîtes en plastique remplies de ses jouets, son petit tricycle[84] rouge… Léna trouvait ça très

---

83. S'effondrer (v.) : *Tomber, s'écrouler.*
84. Tricycle (n.m.) : *Petit vélo à trois roues.*

amusant et pendant quelques jours elle a couru dans les pièces vides.

Karen faisait toutes les démarches. Je ne l'avais jamais vue aussi énergique, presque gaie. Elle ne parlait plus à Léna qu'en anglais. C'était un peu comme si elles étaient déjà parties. Je préfère ne pas raconter la scène des adieux. Léna et sa mère ont disparu de ma vie sans laisser d'adresse.

Deux mois après leur départ, j'ai reçu un mail accompagné d'une photo de Léna. Elle est assise devant une table de jardin. De l'autre côté de la table, une jeune fille sourit en lui tendant un biscuit. J'ai examiné cette photo pendant des heures. Le petit visage de ma Léna avait perdu ses rondeurs[85]. J'ai trouvé qu'elle avait l'air triste, alors que le petit mot de sa mère disait qu'elle était très heureuse de sa nouvelle vie et qu'elle s'entendait bien avec la jeune Portoricaine qui allait la chercher à

---

85. Rondeur (n.f.) : *Forme ronde.*
Perdre ses rondeurs : *Ici, le visage de Léna avait perdu sa forme bien ronde, ses bonnes joues.*

la sortie de l'école tous les jours et s'occupait d'elle de 16 h à 19 h. J'ai eu mal : je me sentais comme un robot que l'on avait remplacé par un autre.

J'ai répondu poliment. Mon message m'est revenu, je l'ai renvoyé plusieurs fois, sans succès. Je me demande si Karen n'a pas voulu en profiter pour couper les liens entre sa fille et moi. Nouvelle vie pour elles, nouveau cadre, nouveaux liens affectifs[86]. Plus de Mélina. Une relation mère-fille toute neuve.

Pendant quelque temps, je me suis enfermée chez moi et j'ai refusé toutes les propositions de travail de Supernounou, sauf les « missions » de courte durée car il faut bien manger. Je me suis mise à passer tout mon temps au cyber. D'abord parce que j'espérais toujours un mail de Karen. Et puis, comme rien ne venait, je me suis inscrite à un site de rencontres. J'ai commencé à échanger des mails avec des inconnus. Ça remplissait mes journées. C'est à ce moment

---

86. Liens affectifs : *Sentiments tendres entre deux personnes.*

que j'ai inventé mon plan pour les rendez-vous. Et je t'ai rencontré.

Voilà, tu sais à peu près tout.

Cher François, nous nous sommes tout de suite bien entendus[87]. Nous avons plaisanté, nous nous sommes confiés l'un à l'autre.

Tu m'as parlé de ton goût pour les romans policiers nordiques que je partage. Tu m'as décrit ton exploitation et ton verger[88], et je t'ai dit à quel point les arbres me manquaient dans mon paysage de béton[89].

Un jour, tu m'as raconté que ta mère avait été atteinte d'un Alzheimer à l'âge de quarante-cinq ans et tu as écrit ces mots : « Elle n'est pas morte mais elle nous a quittés depuis longtemps. » Il me semble que cette phrase décrit très bien ma vie en marge, à côté de la vie.

---

87. Bien s'entendre : *Bien se comprendre, avoir une bonne relation.*
88. Verger (n.m.) : *Terrain où poussent des arbres fruitiers.*
89. Béton (n.m.) : *Matériau utilisé pour la construction de bâtiments.*
Paysage de béton : *Paysage de bâtiments construits avec ce matériau, paysage sans verdure.*

Par retour de courrier[90], je t'ai confié que ma grand-mère avait souffert de la même maladie. Elle s'appelait Eugénia et si j'avais eu une fille, je lui aurais donné ce prénom. Notre correspondance[91] m'a permis d'imaginer que je pouvais commencer une nouvelle vie avec toi.

Au bout de quelques mois, on m'a proposé mon travail actuel. Évidemment, j'ai accepté parce que le petit garçon, Simon, ne ressemble pas du tout à Léna. Et puis, il y a l'ordinateur tout neuf de ses parents, celui dont je me sers pour t'écrire. C'est devenu une véritable drogue[92].

Je vais essayer de t'expliquer ce qui s'est passé en moi hier : je t'ai vu, tu ressemblais à l'image que je m'étais fabriquée avec les petits bouts de toi trouvés sur le Net. J'ai pensé : « C'est bien lui et c'est moi la menteuse, la voyeuse. » Qu'est-ce que tu voulais que je

---

90. Par retour de courrier (expr.) : *En réponse immédiate à ton courrier.*
91. Correspondance (n.f.) : *Échange de lettres.*
92. Drogue (n.f.) : *Ici sens figuré, quelque chose à quoi on est dépendant, dont on ne peut pas se passer.*

fasse ? Je suis restée sur ma chaise, je n'ai pas pu me lever et aller vers toi pour détruire d'un coup ton rêve... et le mien.

Je vais te confier un dernier secret : je n'ai jamais renoncé à avoir des enfants, et j'ai rêvé d'une famille avec toi. Qu'est-ce que j'aurais pu faire d'autre que de m'inventer une famille, dans ce pays qui m'est étranger ? J'ai fabriqué une illusion[93], et elle m'a aidée à vivre.

J'ai eu peur lorsque tu m'as proposé de venir à Paris pour se voir. Je t'ai expliqué que j'étais très fatiguée et que j'avais trop de travail. Rien à faire, tu insistais et à un moment donné, tu m'as écrit : « J'ai des affaires à régler à Paris, je dois prendre mon billet de train et j'ai prévu de te voir avant de rentrer. »

Tu m'as même demandé sur le ton de la plaisanterie si j'avais quelque chose à cacher, si par hasard je n'étais pas devenue laide. J'ai fait semblant de me vexer[94.]

---

93. Illusion (n.f.) : *Apparence qui n'est pas vraie.*
Fabriquer une illusion : *Inventer dans sa tête quelque chose d'irréel, qui n'existe pas.*
94. Se vexer (v.) : *Être fâché, blessé.*

Tu m'as répondu que tu me pardonnais tous mes petits mensonges et que tu étais certain de ne pas être déçu.

Petits mensonges… Je passais mon temps à me dire, en donnant à manger à Simon ou en passant l'aspirateur : « Tout le monde a le droit de mentir, tout le monde a le droit de manquer de courage. Lui-même, est-ce qu'il n'a pas un peu transformé la réalité ? »

Nous avons choisi le jour de la rencontre. J'ai hésité jusqu'au dernier moment. J'ai choisi de garder ma tenue de tous les jours. Je ne me suis pas maquillée. J'ai pris les lunettes à grosse monture[95] noire et un livre, pour avoir les mains occupées.

Lorsque je t'ai vu entrer, j'ai compris que j'avais tout faux. Pendant deux heures, je me suis faite toute petite, comme d'habitude.

J'essayais de m'imaginer en train de te dire : « François, c'est moi, je ne ressemble pas vraiment à la femme que je t'ai décrite,

_____

95. Monture (n.f.) : *Partie des lunettes où sont installés les verres.*

je sais, mais on peut au moins essayer de se connaître. »

À un moment, je me suis même levée pour le faire. Mais je n'ai pas bougé. Tu sais pourquoi ? Parce que j'ai pensé : « Il ne va pas me reconnaître et son regard va me traverser. » Ça m'a fait très mal.

Je t'ai tout dit. Je t'envoie une photo récente[96] de moi. Elle n'est pas très réussie mais tu pourras te faire une idée.

À bientôt,

Mélina

---

96. Récente (adj.) : *Actuelle, qui n'est pas ancienne, pas vieille.*

Samedi 25 avril, 18 h 50

François à Mélina

Chère Mélina,

Merci pour la photo, elle est différente de la première mais je t'ai trouvé belle, avec un air grave qui te va bien. J'ai pris le temps de relire plusieurs fois toutes tes lettres et aussi de faire un retour sur moi-même. Tu vois que j'ai fait du chemin en quelques jours !

J'ai aussi une confession[97] à te faire. Moi non plus, je ne t'ai pas tout dit et je me suis rendu à notre rendez-vous le cœur battant. Tu m'as fait croire que tu étais plus jeune et que tu avais un métier plus valorisant[98] pour toi que le vrai. Mais il me plaît bien, à moi, ton vrai métier. Ton âge aussi, d'ailleurs.

Moi non plus, je ne t'ai pas dit la vérité. En réalité, j'ai des problèmes d'argent ; je suis

---

97. Confession (n.f.) : *Chose à avouer, à dire.*
98. Valorisant (adj.) : *Qui donne de la valeur, qui donne une image positive.*

sur le point de[99] perdre mon exploitation. Tu n'es pas une fille de vingt-cinq ans, tu n'es pas une petite bourgeoise parisienne, tu n'es pas professeur, tu n'es pas… et moi ? Je ne suis pas un fermier qui gagne bien sa vie, je ne suis pas un homme sûr de lui… j'ai beaucoup de choses à t'apprendre sur moi. Et si on commençait à s'intéresser à ce qu'on est vraiment ? Chacun de nous doit aller vers l'autre avec ses faiblesses et avec ses blessures.

J'aimerais bien un deuxième rendez-vous. Cette fois, c'est moi qui choisirai le lieu. J'attends ta réponse.

À bientôt… Méla,
je t'embrasse.

François

---

99. Sur le point de (expr.) : *Qui va bientôt arriver.*

Samedi 25 avril, 22 h

Mélina à François

Bonjour François,

Ta lettre m'a fait très plaisir. Je vais réfléchir à ta proposition.

Je comprends que tu nous offres une deuxième chance mais… j'ai peur d'être déçue et de te décevoir. J'ai peur aussi de ce que tu as à me dire. Pour l'instant, on va prendre notre temps et apprendre à mieux nous connaître. Continuons à nous écrire, je crois que c'est à ton tour[100] de te raconter sans rien laisser dans l'ombre. Une chose est certaine, je ne veux plus rester une voyeuse à côté de la vraie vie.

À très bientôt,
je t'embrasse.

Méla

---

100. À ton tour : *À toi.*

TABLE DES MATIÈRES

Crédits

Principe de couverture : David Amiel et Vivan Mai
Direction artistique : Vivan Mai
Crédits iconographiques de la couverture : Onur DAngel/E+/
Gettyimages

Relecture et mise en pages : Nelly Benoit

Enregistrement, montage et mixage : Studio EURODVD

ISBN 978-2-278-07972-8 – ISSN 2270-4388

Dépôt légal : 7972/04 - N° 2951981A
Achevé d'imprimer en février 2020 en France par Jouve Numérique
(Mayenne)